在纪念中国人民志愿军抗美援朝出国作战70周年大会上的讲话

（2020年10月23日）

习　近　平

人民出版社

图书在版编目(CIP)数据

在纪念中国人民志愿军抗美援朝出国作战70周年大会上的讲话/习近平 著. —北京:人民出版社,2020.10
ISBN 978-7-01-022576-0

Ⅰ.①在… Ⅱ.①习… Ⅲ.①习近平-讲话-学习参考资料 ②抗美援朝战争-学习参考资料 Ⅳ.①D2-0②E297.5

中国版本图书馆CIP数据核字(2020)第205073号

(RMC-ZJDXI-099-20201023)

在纪念中国人民志愿军抗美援朝
出国作战70周年大会上的讲话

ZAI JINIAN ZHONGGUO RENMIN ZHIYUANJUN KANGMEIYUANCHAO
CHUGUO ZUOZHAN 70 ZHOUNIAN DAHUI SHANG DE JIANGHUA

(2020年10月23日)

习 近 平

人民出版社 出版发行
(100706 北京市东城区隆福寺街99号)

北京新华印刷有限公司印刷 新华书店经销

2020年10月第1版 2020年10月北京第1次印刷
开本:880毫米×1230毫米 1/32 印张:0.5
字数:7千字

ISBN 978-7-01-022576-0 定价:2.00元

邮购地址 100706 北京市东城区隆福寺街99号
人民东方图书销售中心 电话 (010)65250042 65289539

在纪念中国人民志愿军抗美援朝出国作战70周年大会上的讲话

（2020年10月23日）

习　近　平

同志们，朋友们：

今天，我们在这里隆重集会，纪念中国人民志愿军抗美援朝出国作战70周年。

70年前，由中华优秀儿女组成的中国人民志愿军，肩负着人民的重托、民族的期望，高举保卫和平、反抗侵略的正义旗帜，雄赳赳、气昂昂，跨过鸭绿江，发扬伟大的爱国主义精神和革命英雄主义精神，同朝鲜人民和军队一道，历经两年零9个月艰苦卓绝的浴血奋战，赢得了抗美援朝战争伟大胜利。

伟大的抗美援朝战争，抵御了帝国主义侵略扩张，捍卫了新中国安全，保卫了中国人民和平生活，稳定了朝鲜半岛局势，维护了亚洲和世界和平。

抗美援朝战争伟大胜利，将永远铭刻在中华民族的史册上！永远铭刻在人类和平、发展、进步的史册上！

——70年来，我们始终没有忘记老一辈革命家为维护国际正义、捍卫世界和平、保卫新生共和国所建立的不朽功勋，始终没有忘记党中央和毛泽东同志当年作出中国人民志愿军出国作战重大决策的深远意义。此时此刻，我们要向老一辈革命家，表示最深切的怀念！

——70年来，我们始终没有忘记谱写了气壮山河英雄赞歌的中国人民志愿军将士，以及所有为这场战争胜利作出贡献的人们。我代表党中央、国务院和中央军委，向所有健在的中国人民志愿军老战士、老同志、伤残荣誉军人，向当年支援抗美援朝战争的全国各族人民特别是参战支前人员，向中国人民志愿军烈属、军属，致以最诚挚的问候！

——70年来，我们始终没有忘记在抗美援朝战争中英勇牺牲的烈士们。19万7千多名英雄儿女为了祖国、为了人民、为了和平献出了宝贵生命。烈士们的功绩彪炳千秋，烈士们的英名万古流芳！

在抗美援朝战争中，朝鲜党、政府、人民关心、爱护、支援中国人民志愿军，中朝两国人民和军队休戚与共、生死相依，用鲜血凝结成了伟大战斗友谊。世界上一切爱好和平的国家和人民、友好组织和友好人士，对中国人民志愿军入朝作战给予了有力支援和支持。我代表中国党、政府、军队，向他们表示衷心的感谢！

同志们、朋友们！

中华民族是爱好和平的民族，中国人民是爱好和平的人民。近代以后，中国人民饱受列强侵略之害、饱经战火蹂躏之苦，更是深深懂得战争的残酷、和平的宝贵。新中国成立之初，百废待兴，百业待举，中国人民无比渴望和平安宁。但是，中国人民的这个愿望却受到了粗暴挑战，帝国主义侵略者将战争强加在了中国人民头上。

1950 年 6 月 25 日,朝鲜内战爆发。美国政府从其全球战略和冷战思维出发,作出武装干涉朝鲜内战的决定,并派遣第七舰队侵入台湾海峡。1950 年 10 月初,美军不顾中国政府一再警告,悍然越过三八线,把战火烧到中朝边境。侵朝美军飞机多次轰炸中国东北边境地区,给人民生命财产造成严重损失,我国安全面临严重威胁。

值此危急关头,应朝鲜党和政府请求,中国党和政府以非凡气魄和胆略作出抗美援朝、保家卫国的历史性决策。1950 年 10 月 19 日,中国人民志愿军在彭德怀司令员兼政治委员率领下进入朝鲜战场。这是以正义之师行正义之举。

抗美援朝战争,是在交战双方力量极其悬殊条件下进行的一场现代化战争。当时,中美两国国力相差巨大。在这样极不对称、极为艰难的情况下,中国人民志愿军同朝鲜军民密切配合,首战两水洞、激战云山城、会战清川江、鏖战长津湖等,连续进行 5 次战役,此后又构筑起铜墙铁壁般的纵深防御阵地,实施多次进攻战役，粉碎“绞杀战”、抵御“细菌战”、血战上甘岭，创造了威武雄壮的战争伟业。全国各族人民由衷称赞志愿军将士为“最可爱的人”！经过艰苦卓绝的战斗，中朝军队打败了武装到牙齿的对手，打破了美军不可战胜的神话，迫使不可一世的侵略者于 1953 年 7 月 27 日在停战协定上签字。

在抗美援朝战争期间，党中央统揽全局，实施有力的战争动员和正确的战争指导，采取边打、边稳、边建的方针，开展了波澜壮阔的抗美援朝运动，全国各族人民举国同心支撑起这场事关国家和民族前途命运的伟大抗争，最终用伟大胜利向世界宣告“西方侵略者几百年来只要在东方一个海岸上架起几尊大炮就可霸占一个国家的时代是一去不复返了”！

同志们、朋友们！

抗美援朝战争伟大胜利，是中国人民站起来后屹立于世界东方的宣言书，是中华民族走向伟大复兴的重要里程碑，对中国和世界都有着重大而深远的意义。

经此一战，中国人民粉碎了侵略者陈兵国门、进而将新中国扼杀在摇篮之中的图谋，可谓“打得一拳开,免得百拳来”,帝国主义再也不敢作出武力进犯新中国的尝试,新中国真正站稳了脚跟。这一战,拼来了山河无恙、家国安宁,充分展示了中国人民不畏强暴的钢铁意志!

经此一战,中国人民彻底扫除了近代以来任人宰割、仰人鼻息的百年耻辱,彻底扔掉了“东亚病夫”的帽子,中国人民真正扬眉吐气了。这一战,打出了中国人民的精气神,充分展示了中国人民万众一心的顽强品格!

经此一战,中国人民打败了侵略者,震动了全世界,奠定了新中国在亚洲和国际事务中的重要地位,彰显了新中国的大国地位。这一战,让全世界对中国刮目相看,充分展示了中国人民维护世界和平的坚定决心!

经此一战,人民军队在战争中学习战争,愈战愈勇,越打越强,取得了重要军事经验,实现了由单一军种向诸军兵种合成军队转变,极大促进了国防和军队现代化。这一战,人民军队战斗力威震世界,充分展示了敢打必胜的血性铁骨!

经此一战，第二次世界大战结束后亚洲乃至世界的战略格局得到深刻塑造，全世界被压迫民族和人民争取民族独立和人民解放的正义事业受到极大鼓舞，有力推动了世界和平与人类进步事业。它用铁一般的事实告诉世人，任何一个国家、任何一支军队，不论多么强大，如果站在世界发展潮流的对立面，恃强凌弱、倒行逆施、侵略扩张，必然会碰得头破血流。这一战，再次证明正义必定战胜强权，和平发展是不可阻挡的历史潮流！

同志们、朋友们！

在波澜壮阔的抗美援朝战争中，英雄的中国人民志愿军始终发扬祖国和人民利益高于一切、为了祖国和民族的尊严而奋不顾身的爱国主义精神，英勇顽强、舍生忘死的革命英雄主义精神，不畏艰难困苦、始终保持高昂士气的革命乐观主义精神，为完成祖国和人民赋予的使命、慷慨奉献自己一切的革命忠诚精神，为了人类和平与正义事业而奋斗的国际主义精神，锻造了伟大抗美援朝精神。

伟大抗美援朝精神跨越时空、历久弥新，必须永续传承、世代发扬。

——无论时代如何发展，我们都要砥砺不畏强暴、反抗强权的民族风骨。70 年前，帝国主义侵略者将战火烧到了新中国的家门口。中国人民深知，对待侵略者，就得用他们听得懂的语言同他们对话，这就是以战止战、以武止戈，用胜利赢得和平、赢得尊重。中国人民不惹事也不怕事，在任何困难和风险面前，腿肚子不会抖，腰杆子不会弯，中华民族是吓不倒、压不垮的！

——无论时代如何发展，我们都要汇聚万众一心、勠力同心的民族力量。在抗美援朝战争中，中国人民在爱国主义旗帜感召下，同仇敌忾、同心协力，让世界见证了蕴含在中国人民之中的磅礴力量，让世界知道了“现在中国人民已经组织起来了，是惹不得的。如果惹翻了，是不好办的”！

——无论时代如何发展，我们都要锻造舍生忘死、向死而生的民族血性。在朝鲜战场上，志愿军将士面对强大而凶狠的作战对手，身处恶劣而残酷的战场环境，抛头颅、洒热血，以“钢少气多”力克“钢多气少”，谱写了惊天地、泣鬼神的雄壮史诗。志愿军将士冒着枪林弹雨勇敢冲锋，顶着狂轰滥炸坚守阵地，用胸膛堵枪眼，以身躯作人梯，抱起炸药包、手握爆破筒冲入敌群，忍饥受冻绝不退缩，烈火烧身岿然不动，敢于“空中拼刺刀”。在他们中涌现出杨根思、黄继光、邱少云等30多万名英雄功臣和近6000个功臣集体。英雄们说：我们的身后就是祖国，为了祖国人民的和平，我们不能后退一步！这种血性令敌人胆寒，让天地动容！

——无论时代如何发展，我们都要激发守正创新、奋勇向前的民族智慧。勇于创新者进，善于创造者胜。志愿军将士面对陌生的战场、陌生的敌人，坚持“你打你的，我打我的，你打原子弹，我打手榴弹”，把灵活机动战略战术发挥得淋漓尽致。面对来自各方面的风险挑战，面对各种阻力压力，中国人民总能逢山开路、遇水架桥，总能展现大智大勇、锐意开拓进取，“杀出一条血路”！

同志们、朋友们！

抗美援朝战争胜利60多年来，在中国共产党坚强领导下，中国发生了前所未有的历史巨变，中国特色社会主义进入了新时代，中华民族迎来了从站起来、富起来到强起来的伟大飞跃。

今天，我们正站在实现“两个一百年”奋斗目标的历史交汇点上，全面建成小康社会胜利在望，全面建设社会主义现代化国家前景光明。前进道路不会一帆风顺。我们要铭记抗美援朝战争的艰辛历程和伟大胜利，敢于斗争、善于斗争，知难而进、坚韧向前，把新时代中国特色社会主义伟大事业不断推向前进。

——铭记伟大胜利，推进伟大事业，必须坚持中国共产党领导，把党锻造得更加坚强有力。抗美援朝战争伟大胜利再次证明，没有任何一支政治力量能像中国共产党这样，为了民族复兴、人民幸福，不惜流血牺牲，不懈努力奋斗，团结凝聚亿万群众不断走向胜利。只要我们不忘初心、牢记使命，以自我革命精神全面推进党的建设新的伟大工程，不断增强党的政治领导力、思想引领力、群众组织力、社会号召力，就一定能够使党始终成为中国人民最可靠、最坚强的主心骨！

——铭记伟大胜利，推进伟大事业，必须坚持以人民为中心，一切为了人民、一切依靠人民。历史是人民创造的。中国共产党的力量，人民军队的力量，根基在人民。我们要坚持全心全意为人民服务的根本宗旨，为民谋利，为民尽责，为民担当，把人民对美好生活的向往作为始终不渝的奋斗目标，始终保持党同人民群众的血肉联系。只要我们始终坚持人民立场、人民至上，就一定能够激发出无往而不胜的强大力量，就一定能够不断书写中华民族伟大复兴的精彩华章！

——铭记伟大胜利，推进伟大事业，必须坚持推进经济社会发展，不断壮大我国综合国力。落后就要挨打，发展才能自强。新中国成立 70 多年来，我国用几十年时间走完了发达国家几百年走过的发展历程，创造了举世瞩目的发展奇迹。当前，我国将进入新发展阶段，面对新机遇新挑战，只要我们统筹推进“五位一体”总体布局、协调推进“四个全面”战略布局，坚定不移贯彻新发展理念，构建新发展格局，就一定能够实现更高质量、更有效率、更加公平、更可持续、更为安全的发展，不断创造让世界惊叹的更大奇迹！

——铭记伟大胜利，推进伟大事业，必须加快推进国防和军队现代化，把人民军队全面建成世界一流军队。没有一支强大的军队，就不可能有强大的祖国。坚持和发展中国特色社会主义，必须统筹发展和安全、富国和强军。要贯彻新时代党的强军思想，贯彻新时代军事战略方针，毫不动摇坚持党对人民军队的绝对领导，坚持政治建军、改革强军、科技强军、人才强军、依法治军，全面提高捍卫国家主权、安全、发展利益的战略能力，更好履行新时代人民军队使命任务。只要我们与时俱进加强国防和军队建设，向着党在新时代的强军目标阔步前行，就一定能够为实现中华民族伟大复兴提供更为坚强的战略支撑！

——铭记伟大胜利，推进伟大事业，必须维护世界和平和正义，推动构建人类命运共同体。中华民族历来秉持“亲仁善邻”的理念。作为负责任大国，中国坚守和平、发展、公平、正义、民主、自由的全人类共同价值，坚持共商共建共享的全球治理观，坚定不移走和平发展、开放发展、合作发展、共同发展道路。只要坚持走和平发展道路，同各国人民一道推动构建人类命运共同体，就一定能够迎来人类和平与发展的美好未来！

同志们、朋友们！

世界是各国人民的世界，世界面临的困难和挑战需要各国人民同舟共济、携手应对，和平发展、合作共赢才是人间正道。当今世界，任何单边主义、保护主义、极端利己主义，都是根本行不通的！任何讹诈、封锁、极限施压的方式，都是根本行不通的！任何我行我素、唯我独尊的行径，任何搞霸权、霸道、霸凌的行径，都是根本行不通的！不仅根本行不通，最终必然是死路一条！

中国一贯奉行防御性国防政策，中国军队始终是维护世界和平的坚定力量。中国永远不称霸、不扩张，坚决反对霸权主义和强权政治。我们决不会坐视国家主权、安全、发展利益受损，决不会允许任何人任何势力侵犯和分裂祖国的神圣领土。一旦发生这样的严重情况，中国人民必将予以迎头痛击！

同志们、朋友们！

回望70年前伟大的抗美援朝战争，进行具有许多新的历史特点的伟大斗争，瞻望中华民族伟大复兴的光明前景，我们无比坚定、无比自信。让我们更加紧密地团结在党中央周围，弘扬伟大抗美援朝精神，雄赳赳、气昂昂，向着全面建设社会主义现代化国家新征程，向着实现中华民族伟大复兴的中国梦，继续奋勇前进！